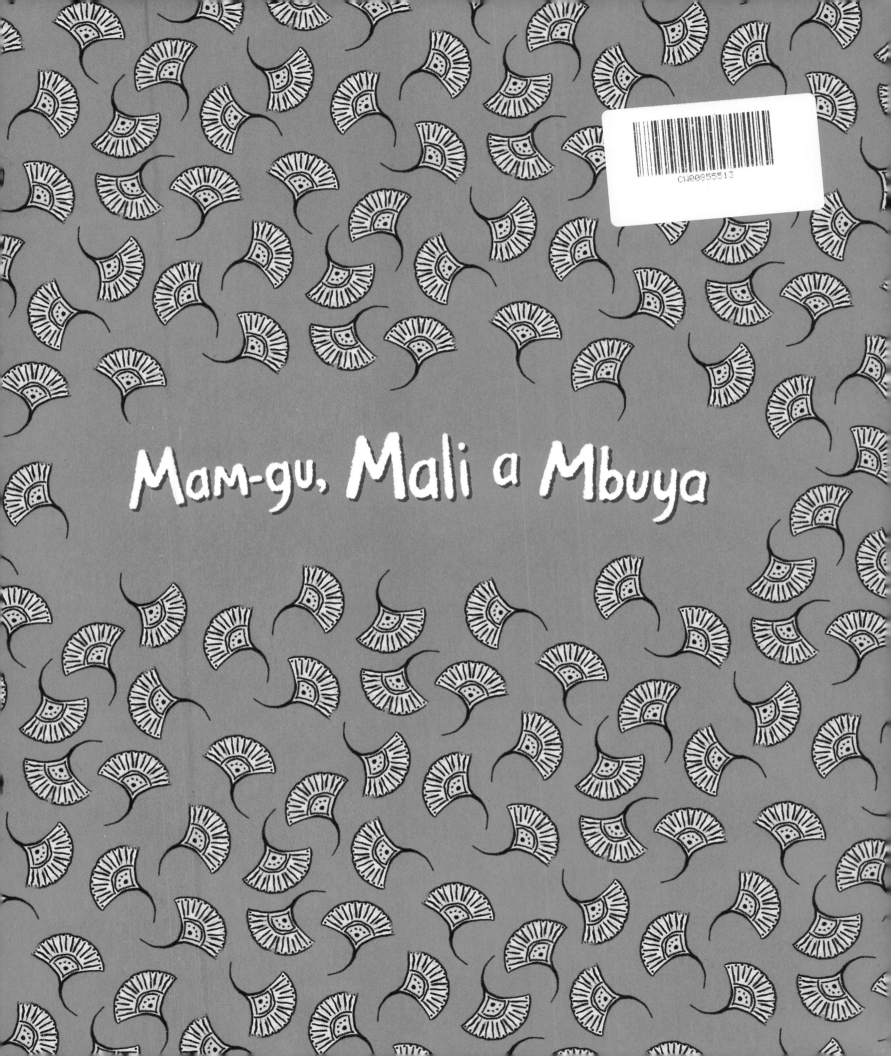

Mam-gu, Mali a Mbuya

I Elizabeth Glenys Jones (fy mam yng nghyfraith).
Diolch am eich haelioni, eich cariad ac am ddangos i mi sut i fod yn Fam-gu gariadus.
- Theresa Mgadzah Jones

Er cof am fy Mam-gu a Thad-cu, Phoebe a Raymond Bainton,
a fy Nain a Taid o Iwerddon, Annie a Michael Mollöy.
- Derek Bainton

Cyhoeddwyd gyntaf yn 2023 gan Mudiad Meithrin. Rhif elusen: 1022320

Hawlfraint y testun: Theresa Mgadzah Jones, 2023 ©
Hawlfraint y gwaith arlunio: Derek Bainton, 2023 ©

Argraffwyd a rhwymwyd yng Nghymru gan Cambrian Printers Ltd, Pontllanfraith, Y Coed Duon. Cedwir pob hawl.

Dyluniwyd gan Derek Bainton

ISBN: 9781870222075

Mam-gu, Mali a Mbuya

Ysgrifennwyd gan Theresa Mgadzah Jones
Darluniwyd gan Derek Bainton

Cyfieithwyd gan Manon Steffan Ros

Mae Mali'n 4 oed. Mae hi'n byw yng Nghaerdydd gyda Mam, Dad a Mam-gu.

Mbuya (mBw-ia)

Mae Mali'n llawn cyffro heddiw.
Mae'n mynd i ymweld â'i Mam-gu arall, Mbuya (mBw-ia).
Mae Mbuya'n byw yn Llundain.

Mae Mali a Mam-gu'n
mynd i Lundain
ar y trên i weld Mbuya.

Yn yr orsaf,
mae Mali'n rhoi cusan fawr
a chwtsh i Mam a Dad.
Cyn hir, bydd Mali a Mam-gu
yn Llundain gyda Mbuya...

Mae Mbuya a Mam-gu yn neiniau i Mali,
ond mae'r ddwy'n
wahanol iawn.

Mae Mam-gu o Gymru ac mae Mbuya o Zimbabwe.

Ond pan maen nhw'n
cyrraedd y gât,
dyw Mam-gu ddim yn gallu
dod o hyd i'r tocynnau trên.
"Ble yn y byd maen nhw?" mae'n gofyn.

"Dyma nhw, Mam-gu!" meddai Mali,
 ac mae'n mynd â'r tocynnau
  ac yn eu dangos i'r fenyw wrth y gât.

"Diolch Mali!" meddai Mam-gu.
"Dere, cyn i ni golli'r trên!"

"Dewch, Mam-gu!
Mae'r trên yma ac
yn barod i adael!"
meddai Mali.

"Bron i ni golli'n trên, Mam-gu!" meddai Mali.
"Do," meddai Mam-gu. "Beth am i ni eistedd fan hyn?"

Mae Mam-gu'n stopio wrth fwrdd bach.
Mae Mali'n eistedd yn ei chadair ac yn gwylio
wrth i adeiladau Caerdydd gael eu gadael ar ôl.

Cyn hir, maen nhw'n cyrraedd Gorsaf Paddington.
"Edrychwch, Mam-gu! Dacw Mbuya!"
"Helo Mbuya!" meddai Mali, gan roi cwtsh mawr a chusan iddi.
"Helo muzukuru wangu!" meddai Mbuya,
gan ddal yn dynn yn Mali. Mae Mbuya a Mam-gu'n rhoi
cwtsh mawr a chusan i'w gilydd hefyd.

"Croeso i Lundain!" meddai Mbuya.
"Nawr, fe awn ni gartre ar y bws."

"Gawn ni wneud eich salad ffrwythau
arbennig chi heddiw?" mae Mali'n holi.
"Cawn," meddai Mbuya.
　　"Ond bydd rhaid i ni nôl ffrwythau
o'r farchnad yn gyntaf."

Mae Mali'n hoffi ffrwythau,
ond dim ond mewn salad ffrwythau.
Mae hi wrth ei bodd yn gwneud
salad ffrwythau gyda'i Mam-gu.
Allwch chi ddyfalu pa ffrwythau
fydd Mam-gu yn eu rhoi yn ei
salad ffrwythau hi?

Ac mae Mali wrth ei bodd
yn gwneud salad ffrwythau
gyda Mbuya hefyd.
Ond mae salad ffrwythau
Mamgu a Mbuya yn wahanol iawn.
Allwch chi ddyfalu pa ffrwythau
fydd Mbuya yn eu rhoi
yn ei salad ffrwythau hi?

Felly, ar eu ffordd gartre i dŷ Mbuya,
mae'r tair yn galw yn y farchnad.

"O waw!" meddai Mam-gu. "Welais i erioed gymaint
o bethau mewn marchnad. Ac mae'r farchnad yma
tu fas, nid dan do fel yr un yng Nghaerdydd!"

Allwch chi ddyfalu pa ffrwythau bydd Mbuya yn eu prynu
er mwyn eu rhoi nhw yn y salad ffrwythau arbennig?

Mae Mbuya'n codi ffrwyth mawr gyda chroen melyn.
"Dyma fy ffefryn," meddai, gan arogli'r ffrwyth.
"Mae'n llawn sudd, ac mae 'na garreg yn y canol. Mango yw hwn!"

"Eich tro chi, Mam-gu," meddai Mali,
    ac mae Mam-gu'n codi rhywbeth bach gwyrdd.
"Mae arogl da ar hwn!" meddai Mam-gu. "Ai ffrwyth ciwi yw e?"
        "Nage," meddai Mbuya. "Guava yw hwn!"

"Rydw i am gael yr un yma,"
meddai Mali wrth y stondin nesaf.
"Ych! Mae golwg od ar yr oren yma!"
"Na," meddai Mam-gu.
"Ffrwyth ugli yw hwnna!"

"Edrychwch ar hwn," meddai Mam-gu.
"Raaaa!" mae Mbuya'n gweiddi.
"Ffrwyth y ddraig yw hwnna!"

"Blaswch yr un yma,"
        meddai'r dyn wrth y stondin nesaf.
Mae'n torri ffrwyth mawr, lliw oren.
    Mae'n llachar iawn ar y tu mewn,
        ac yn llawn hadau duon.
            "Papaya yw hwn," meddai.
"Neu paw paw," meddai Mbuya.

"Dwi'n hoffi'r un yma," meddai Mali,
        gan bwyntio at ffrwyth cochlyd
            crwn gyda chroen llyfn.
        "Pomgranad yw hwnna," meddai'r dyn.

"Ych a fi! Mae arogl ofnadwy ar hwn,
ond mae'n blasu'n hyfryd," meddai Mam-gu,
gan godi ffrwyth â chroen crychlyd.

"Granadila yw hwnna!" meddai Mbuya.

"Hoffwn i fynd gartre i wneud
y salad ffrwythau nawr," meddai Mali.
Ond mae Mbuya'n dweud, "Mali, ble mae dy fag di?"

"O na!" meddai Mam-gu. "Ble all e fod?"
"Does dim syniad gyda fi!" meddai Mali.

"Efallai ei fod wrth un o'r stondinau,"
meddai Mbuya, gan edrych yn ôl.

Felly, maen nhw'n mynd i chwilio am fag Mali.
Dyw e ddim wrth y stondin yma...

Nac wrth yr un yma,
meddai Mam-gu...

"O, dacw fe!" meddai Mali.
"Fe adawais i e yna ar ôl blasu'r paw paw!"
"Diolch," meddai Mali wrth y dyn caredig.

"Amser mynd gartre i wneud
y salad ffrwythau,"
meddai Mbuya.

"Gartre o'r diwedd!" meddai Mam-gu.
"Alla i ddim aros am
salad ffrwythau arbennig Mbuya!"

Mae Mbuya'n golchi
rhai o'r ffrwythau,   ac yn plicio
rhai eraill.

Mae'n torri rhai
ohonyn nhw,
ac yn gwasgu'r
sudd o rai eraill.

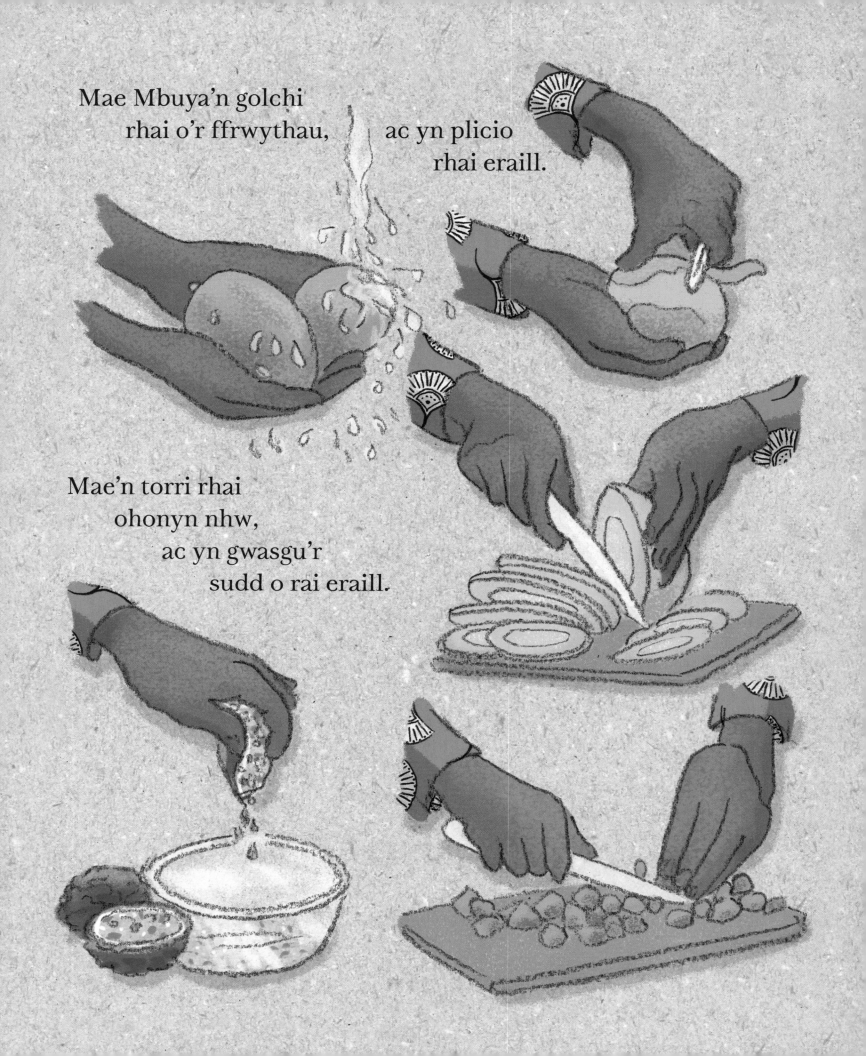

Yna mae'n rhoi'r ffrwythau
i gyd mewn bowlen.
"Am liwiau hyfryd!" meddai Mam-gu.
"Ie," meddai Mbuya gyda gwên fawr. "Fel yr heulwen 'nôl gartre..."

Mae Mali, Mam-gu a Mbuya'n
bwyta'r salad.

"Mmm, blasus iawn!" meddai Mam-gu.
Mae Mali'n chwerthin.
"Dyma salad ffrwythau
arbennig Mbuya!"

"Diolch Mbuya, diolch Mam-gu!"